Avontuur voor peuter en kleuter

Nanda Roep

Dat klinkt als muziek in mijn oren

Tekeningen van Barbara de Wolf

Zwijsen thuis

Avontuur voor peuter en kleuter

NUR 272
© 2004 Tekst: Nanda Roep
© 2004 Tekeningen: Barbara de Wolf
Vormgeving: De Witlofcompagnie, Antwerpen
© 2004 Uitgeverij Zwijsen Algemeen B.V., Tilburg

1ᵉ druk 2004

ISBN 90.276.7893.6

Voor België: Zwijsen-Infoboek, Meerhout
D/2004/1919/530

Ik ben Anouk en ik kan supergoed dansen,
kijk maar!

Ik stamp met mijn voeten
De grond laat ik trillen
Ik zwaai met mijn armen
En ik zwiep met mijn billen

Het liefste zou ik met z'n allen dansen ...

'Hé Anouk, zet die muziek eens uit.
Wij zitten hier tv te kijken!'

Dat zijn mijn ouders en mijn broer.
Zij zijn te moe om te dansen.
Wat zal ik eens gaan doen?
Misschien als ik met mijn vingers op tafel tik ...

Mijn ene hand geeft ritme aan
Volgens mij wordt dit wel wat
Ik laat mijn vingers rollen
En nagels tikken op het tafelblad

'Wat is dat voor irritant geluid?'
roept mijn broer.
'Hou er eens mee op!'

In de keuken liggen lepels
Ik ben hierheen verbannen
Moet je horen hoe het klinkt
Als ik ga rammen op de pannen

'Anouk, stop daarmee,' zegt mama nu.
'Het klinkt als onweer in onze oren!'

Nu ben ik ZO boos
En dat zullen ze ook voelen
Ik maak zo veel lawaai
Ik schuif met alle stoelen

'Zo is het genoeg, jongedame.
Jij gaat naar je kamer!' zegt papa.

Wat moet ik nu hier?
Ik wil dansen!
Op mijn kamer is geen geluid.
Zucht, wat is het stil ...

Wacht eens, wat zie ik hier?
Misschien kan ik toch wel dansen!

Ik schud mijn puzzel door elkaar
Hoor het gerammel van mijn ketting
Mijn spiegel sla ik ritmisch
Tegen de buis van de verwarming

'Oei, wat gaat dit goed.
Wie wil er met me dansen?'

'Wat doe je nu?
Ben je helemáál lekker!
Dat klinkt door het hele huis.
Het lijkt wel een aardbeving!'

En mijn vader zegt me boos
dat ik weer naar beneden moet …

Pfft, ik verveel me rot.
Het journaal is nog lang niet klaar.
Hier is niets om muziek mee te maken.
Of … zie jij wat ik zie?

Hoor eens als ik dit doe …

Ik pluk een draadje los
En schop tegen de onderkant
Ik sla ritmisch op de zitting
En lijk zo wel een muzikant

Maar zuchtend staat mijn moeder op.
Ze zegt dat het klinkt als een hamer op
haar kop …

Het klinkt van boink, boink, boink.'
En mama zegt me: 'Stop.'
Papa klapt in zijn handen
Hij zegt: 'Anouk, nu hou je op!'

Verbaasd kijk ik mijn ouders aan.
En dan zeg ik: 'Papa, mama, jullie …
swingen!'

'Goh …' zeggen mijn ouders met een glimlach.
Dan beginnen ze te zingen:

'Boink, boink, boink, stop
Hou nu toch eens even op!
Anouk, je krijgt van ons nu echt
Op je kop, op je kop!'

Ik zwaai met mijn billen
Zo mag ik het graag horen
Dit standje van mijn ouders
Klinkt als MUZIEK in mijn oren!